Zébulon
le dragon

Julia Donaldson
Illustré par Axel Scheffler

GALLIMARD JEUNESSE

Mme Dragon dirigeait une école, depuis la nuit des temps.
Elle apprenait aux petits dragons ce qu'ils devraient savoir,
plus tard.

Zébulon, le plus gros dragon, était aussi le plus passionné.
Il travaillait avec acharnement, pour gagner l'étoile dorée.

En Première année, les dragons apprenaient à voler.
– Plus haut ! criait Mme Dragon.
Plus haut, les enfants !

Maintenant qu'on vous a montré, à vous de vous entraîner.
Et vous serez champions de vol libre quand vous serez grands.

Zébulon fut
le premier à s'entraîner.
Il s'envola sans difficulté.

Il montait, descendait,
tourbillonnait, quand soudain...

il se cogna contre un arbre.

Une petite fille qui passait par là lui dit :
– Oh, ne pleure pas ! s'il te plaît. Veux-tu
que je te mette un beau sparadrap sur le nez ?

– Excellente idée! répondit Zébulon, consolé.

Et hop, il s'envola en zigzagant dans le ciel bleu avec son sparadrap étincelant.

Un an après, en Deuxième année, les dragons apprirent à rugir.
– Plus fort ! cria Mme Dragon. Plus fort, encore un effort !
Maintenant qu'on vous a montré, à vous de vous entraîner.
Et vous serez champions de rugissement quand vous serez grands.

Zébulon fut le premier à s'entraîner.

Il rugit à pleins poumons.

Il continua des heures durant,
recommença tant de fois…

qu'il se cassa la voix.

Alors la petite fille qui passait par là lui dit :
– Quelle déveine ! Veux-tu une pastille à la menthe
pour la gorge et l'haleine ?

– Excellente idée ! répondit Zébulon, rassuré.

Et hop, il s'envola en zigzagant dans le ciel bleu et les vapeurs de menthe.

Un an après, en Troisième année, les dragons apprirent à cracher du feu.

– Non ! cria Mme Dragon. C'est du feu que je veux, pas des flocons blancs !

Maintenant qu'on vous a montré, à vous de vous entraîner.

Et vous cracherez des feux de joie quand vous serez grands.

Zébulon fut
le premier à s'entraîner.

Il cracha de toutes ses forces:
victoire!

Il virevolta, fou de joie…

et le bout de son aile s'enflamma.

Alors la petite fille qui passait par là lui dit :
— Viens ici, pauvre petit. Veux-tu un bandage pour ton aile roussie ?

– Excellente idée ! répondit Zébulon, presque guéri.

Et hop, il s'envola en zigzagant dans le ciel bleu, son bandage flottant derrière lui.

Tous les dragons de Quatrième année apprenaient…
Avez-vous deviné?

– Oui ! s'écria Mme Dragon. À capturer une princesse !

Maintenant qu'on vous a montré, à vous de vous entraîner.

Vous devrez en capturer des centaines quand vous serez grands.

Zébulon fut
le premier à s'entraîner.
Il essaya, batailla.
Mais, non, il n'y parvint pas.
– Ce n'est vraiment pas mon fort,
se lamenta-t-il. Jamais
je n'obtiendrai l'étoile dorée.

C'est alors qu'il vit la petite fille.
– Ne veux-tu pas me capturer ?
lui proposa-t-elle. Je suis princesse Perle.

– Excellente idée ! répondit Zébulon,
enthousiasmé.
Et hop, il s'envola en zigzagant dans le ciel bleu,
la princesse sur son dos.

– Ah, ah! s'exclama Mme Dragon. Voilà notre première princesse !
Félicitations, mon cher Zébulon ; tu as bien mérité ton étoile dorée !

Zébulon était content et fier de lui.
Et Perle était ravie, elle aussi.

Elle prenait la température des dragons fatigués…

et les soignait quand ils tombaient.

Un an après, en Cinquième année, les dragons apprirent à se battre.

– Génial! dit Mme Dragon. Voilà un vrai chevalier, en chair et en os!

– Mon nom est Tagada le Grand
et je suis venu délivrer la princesse Perle.
J'espère qu'il n'est pas trop tard.

Zébulon cracha du feu et battit des ailes.

– C'est impossible ! Elle est à moi ! rugit-il.

– Certainement pas ! hurla Tagada en brandissant sa fidèle épée.

Tous les dragons s'approchèrent pour mieux voir qui allait remporter le combat,
Zébulon ou messire Tagada?

Alors la princesse Perle se précipita en criant :
– Arrêtez ! Vous êtes fous ! Ne trouvez-vous pas qu'il y a trop de plaies
et de bosses en ce monde ? Ne me délivrez surtout pas ! Je ne veux plus vivre
comme une princesse, ni me pavaner dans le palais en robe à froufrous.

Je veux courir la planète, être médecin,
écouter battre les cœurs et à tous donner des soins.

– Moi aussi ! s'exclama le chevalier en ôtant son heaume argenté.

Il me plaît fort, ton stéthoscope en tire-bouchon.

Princesse, veux-tu m'apprendre le métier ?

– Bien volontiers, mais, à deux, nous ne tiendrons pas sur ton canasson.

Zébulon dit :

– Des médecins volants ! Quel beau métier !

J'aimerais tant travailler avec vous.

Je serais votre ambulancier

et vous transporterais partout.

– Bravo ! conclut Mme Dragon. Voilà un métier d'avenir.

Et tous les grands dragons rugirent de plaisir.

Puis Mme Dragon s'adressa au cheval :

— J'aimerais vous proposer de rester.

Vous joueriez avec les petits et mangeriez du foin à volonté.

– Excellente idée ! dit Zébulon.
Et hop, il s'élança en zigzagant dans le ciel bleu,
emportant sur son dos les deux médecins volants.

Pour Gabriel et Raphael

Traduction : Anne Krief

ISBN : 978-2-07-063420-0
Titre original : *Zog*
Publié pour la première fois par Alison Green Books,
un imprint de Scholatic Children's Books, Londres.
© Julia Donaldson 2010, pour le texte
© Axel Scheffler 2010, pour les illustrations
© Gallimard Jeunesse 2010, pour l'édition française
Numéro d'édition : 239201
Loi n° 49-956 du 16 juillet 1949 sur les publications destinées à la jeunesse
Premier dépôt légal : septembre 2010
Dépôt légal : janvier 2012
Imprimé à Singapour

Le papier de ce livre est issu de forêts gérées durablement.